Published in 2021 by Doric Books, Hirnley, Lumphana

Reprinted in 2023

www.doricbooks.com

ISBN 978-1-8384939-1-2

A catalogue record for this book is available from the British Library.

Printed by McKenzie Print Ltd
Dyce
Aberdeen
AB21 7GA

Printed on paper from responsible resources.

Definition and Use of Doric
The publishers consider Doric to be the distinctive dialect of Scots spoken in the North-East of Scotland. We acknowledge that there are local variations in spelling, pronunciation and use of Doric words. We value this diversity of our dialect and therefore do not consider those chosen in this publication to be the only correct variation.

Scan the QR code for the audio version or visit:
https://doricbooks.com/hear-the-puddock

A puddock sat bi
e lochan's brim

An he thocht
there wis nivver
a puddock
like him.

He sat on his hurdies,
he waggled his legs,

An cockit his heid as he
glowered throu e seggs.

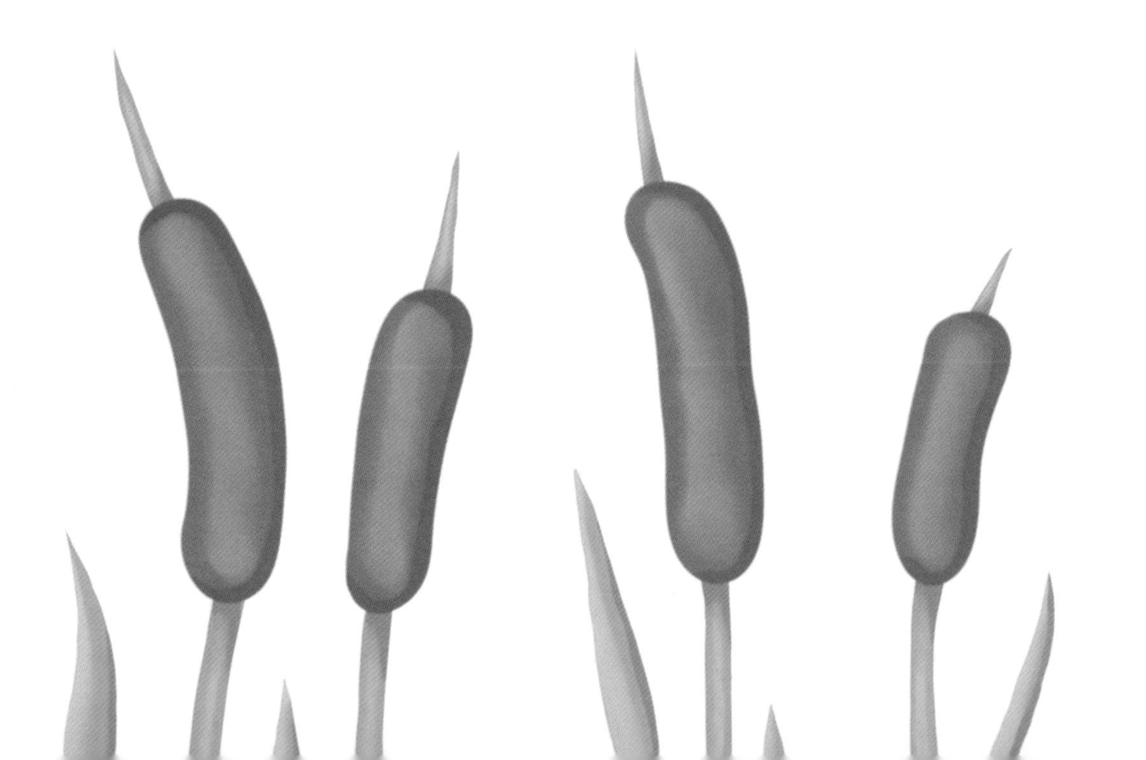

E bigsie wee cratur
wis feelin aat prood,

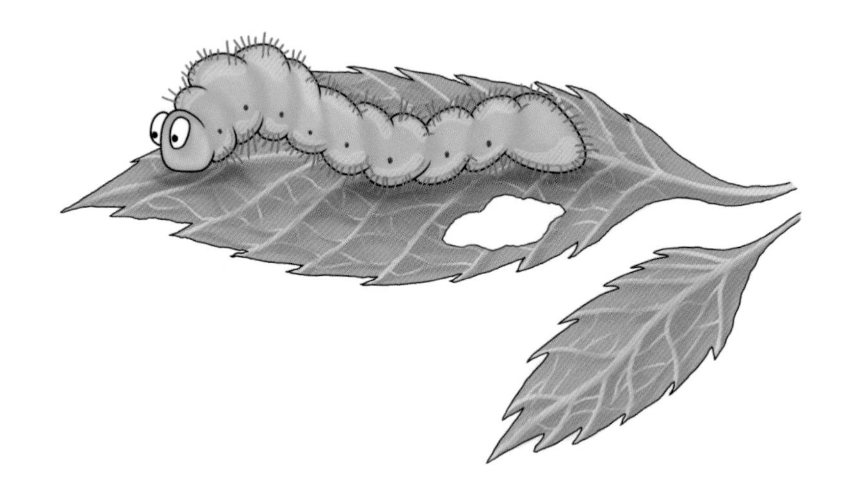

He gapit his mou
an he croakit oot lood:

"Gin ye'd aa like tae see
a richt puddock," quo he,

"Ye'll nivver, I'll sweer,
get a better nor me.

I've faimlies an wives
an a weel-plenished hame,

Wi drink for
ma thrapple

an meat for
ma wame.

E lassies aye thocht
me a fine strappin chiel,

An I ken
I'm a rale
bonny singer
as weel.

I'm nae gaun tae blaw,
bit e truth I maun tell-

I believe I'm e verra
MacPuddock himsel."...

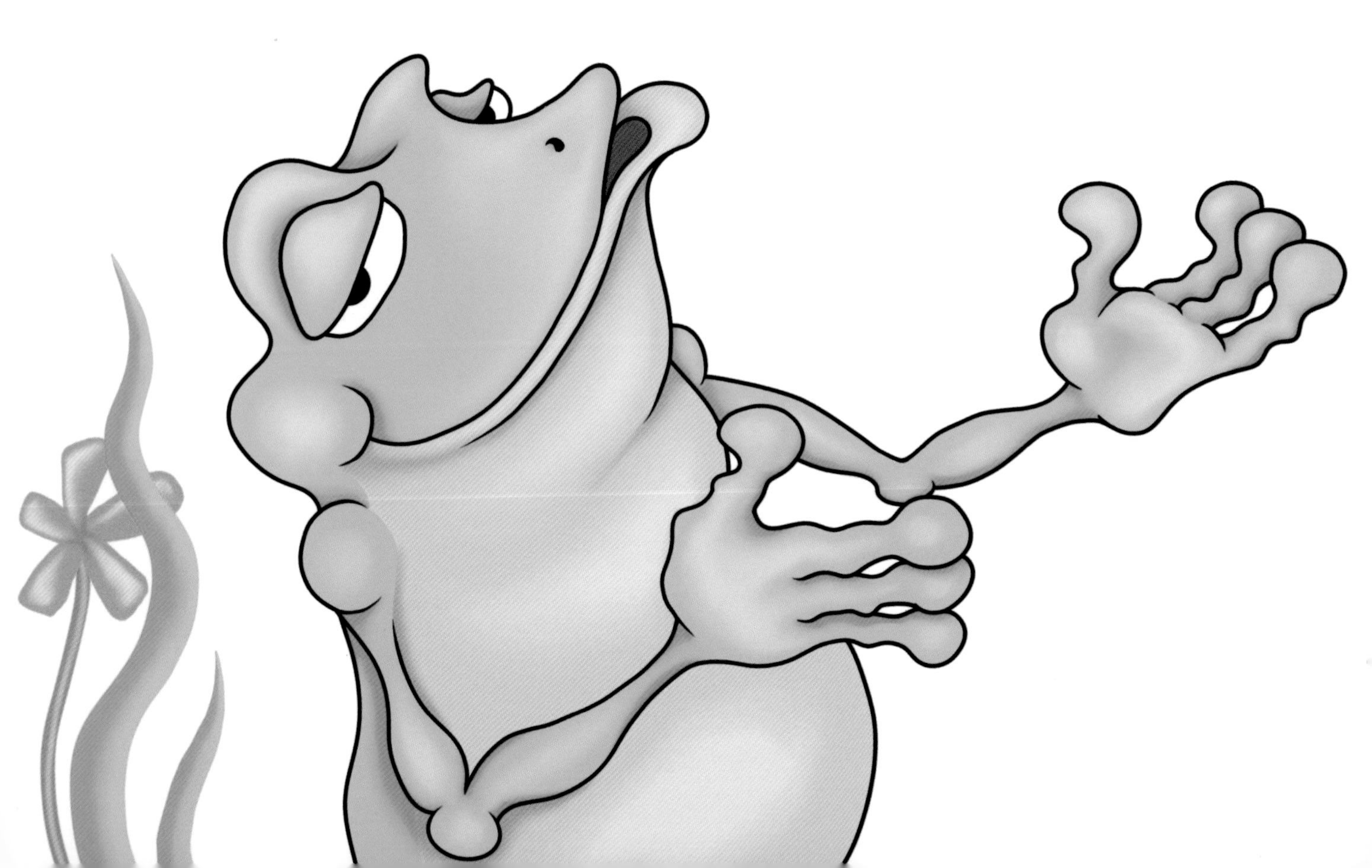

The Verra MacPuddock
Himsel

A heron wis hungry
an needin tae sup,

Sae he nabbit e puddock
an gollupt him up;

Syne runklt his feathers:
"A peer thing," quo he,

"Bit – puddocks is nae fat
they eesed tae be."

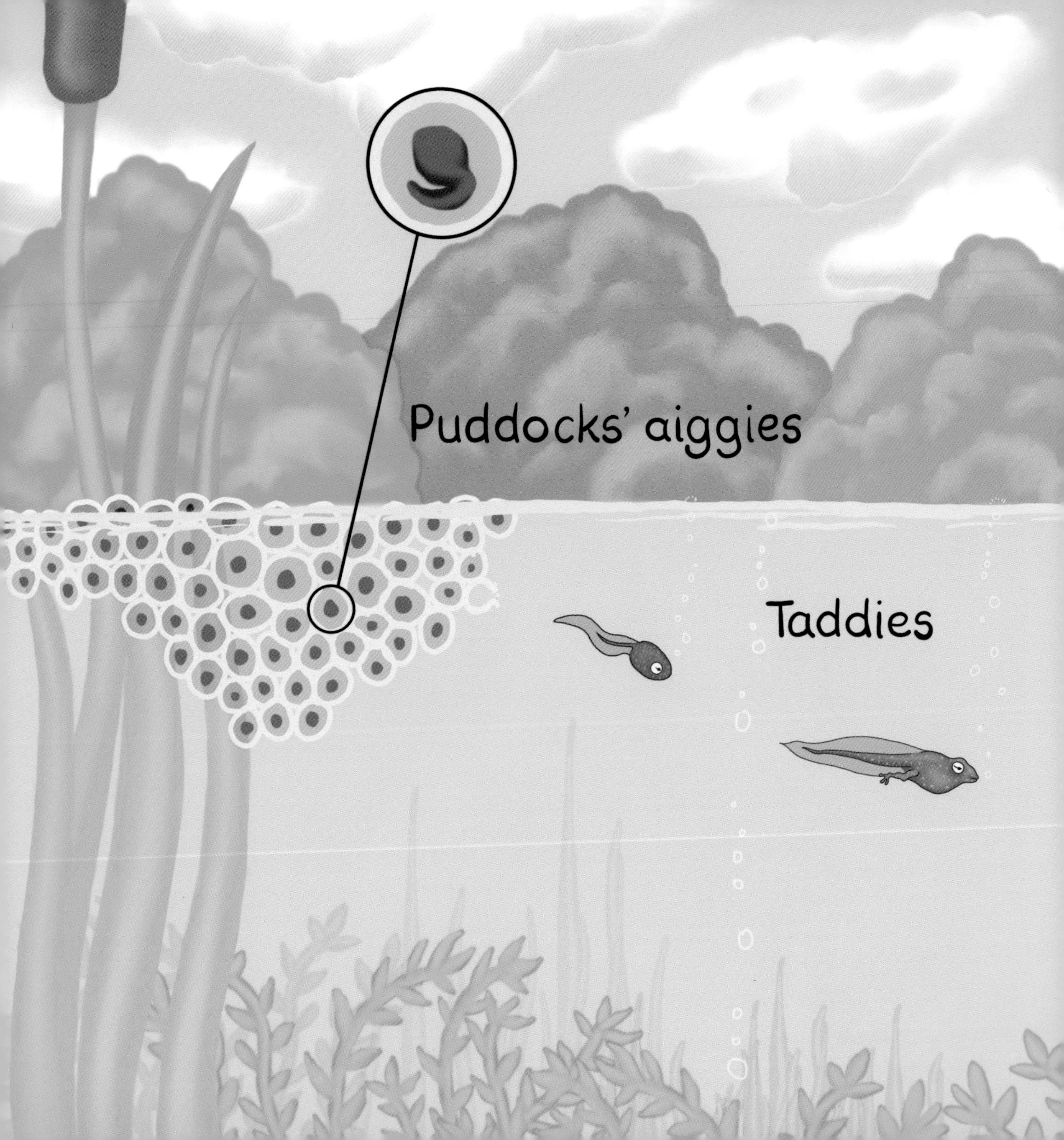
Puddocks' aiggies
Taddies

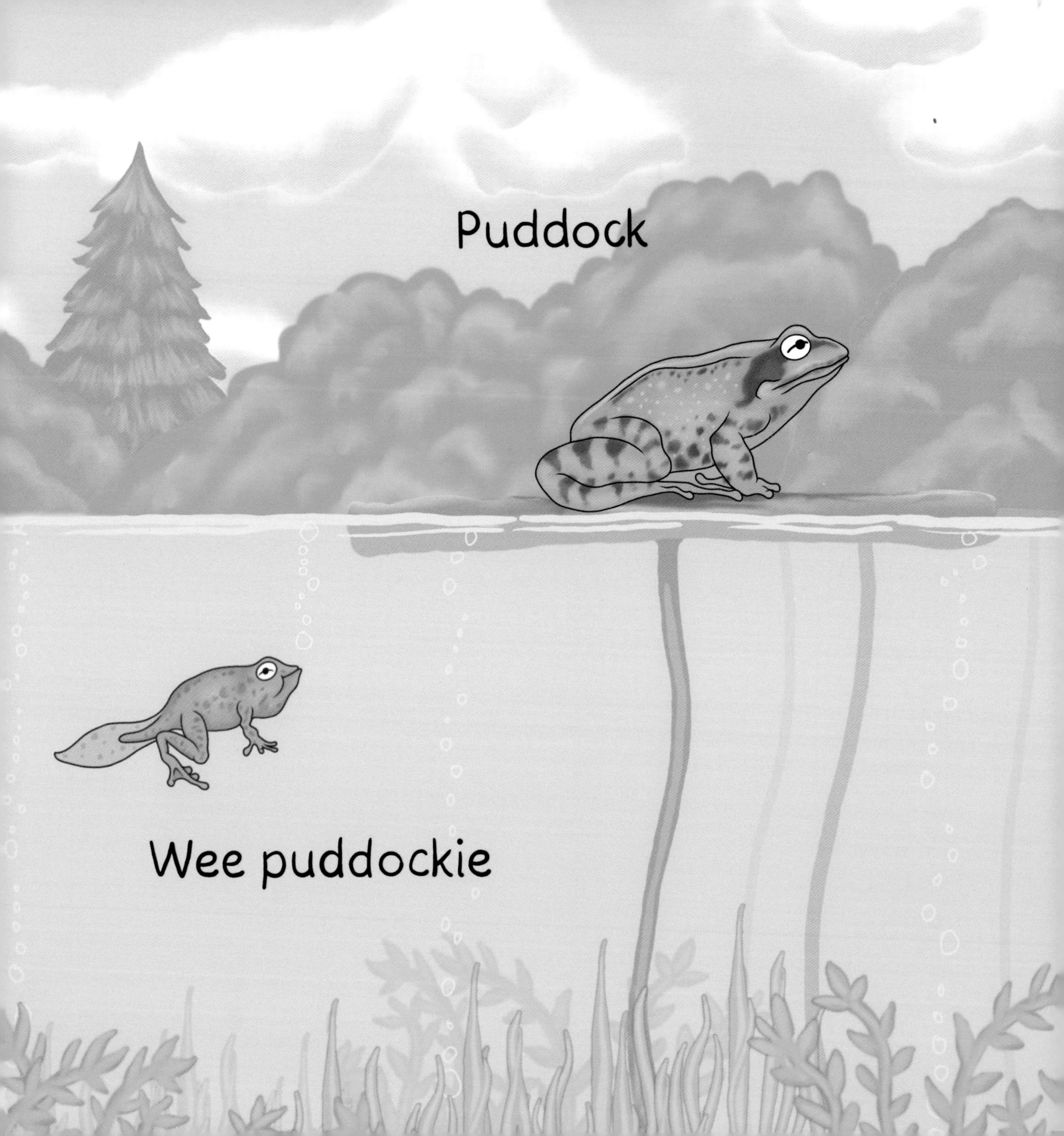
Puddock
Wee puddockie

Doric Wirds - English Words

A

Aa – all

Aabody – everybody

Aat – that

Aboot – about

Afen – often

An – and

Aroon – around

Aulder – older

Aye – always

B

Bairns – children

Baith – both

Bi – by

Bigsie – conceited

Bit – but

Bittie – bit

Blaw – boast

Bonny – beautiful

Braw – fine, excellent

Buik – book

C

Cause – because

Chiel – man, fellow

Cockit – lent, tilted

Cratur – creature

Croakit – croaked

D

Dominie – school master

E

E – the

Eesed – used

Eens – ones

F

Faavrit – favourite

Fack – fact

Fa – who

Faimlies - families

Fair Airchie – the bees knees! the best

Fair puckle – quite a few

Far – where

Fat – what

Feelin – feeling

Fin – find

Fin – when

Foo – how

Fowk – people

G

Gapit – opened wide

Gaun – going

Gey – great, considerable

Gid – went

Gin – if

Gollupt – swallowed greedily

Gran – grand

H

Hae – have

Hairt(s) – heart(s)

Hame – home

Heid – head

Hid – had

Himsel – himself

His – has

Hurdies – buttocks

I

Iss – this

J

Jist – just

K

Ken – know

L

Lang – long

Lassies – girls

Lernt – learned

Lochan – small lake

Lood – loud

Loupin – leaping

M

Ma – my

Mair – more

Mak – make

Maun – must

Micht – might

Mony – many

Mou – mouth

N

Nabbit – grabbed

Nae – not

Needin – needing, wanting

Nivver – never

Nor – than

O

O – of

Oors – ours

Oot – out

P

Peer – poor

Picturs – pictures

Prood – proud

Puddock – frog

Q

Quo – said

R

Rale – real

Rare – excellent

Richt – right (impressive)

Runklt – wrinkled

S

Sae – so

Seggs – sedge, yellow iris

Shortsome – amusing

Skweel – school

Speecial – special

Spellin – spelling

Strappin – tall, handsome and agile

Stravaiged – wandered

Sup – eat

Sweer – swear

Syne – then

T

Tae – to

Teen – taken, took

Thocht – thought

Thou – though

Thrapple – throat

Throu – through

Til – until

V

Verra – very

W

Wame – belly, stomach

Wee – small

Weel – well

Weel-plenished – well furnished

Wi – with

Wirds – words

Wis – was

Wur – were

Y

Ye – you

The Puddock his aye been a faavrit o oors here at Doric Books. Baith Jackie an Aaron lernt it at e skweel lang syne. Aaron hid a speecial connection cause he gid tae e same skweel as J.M. Caie – nae at e same time thou! – an aften stravaiged aroon e lochan far Caie micht hae seen puddocks loupin. In fack, Aaron based e picturs in e buik on e wee lochan up at Fochabers. Jackie gid tae Lumphanan Skweel far Doug Aberdein, e dominie, hid aa e bairns learn tae recite The Puddock bi hairt. She nivver seen it in print til she wis a gey bittie aulder. Syne she wis teen aback tae see English wirds far she'd aye spoken Doric eens. Sae fin we decided tae print iss braw buik we teen e decision tae change e spellin tae mak it mair like foo we lernt it fin we wur bairns.